YN NWYLO TERFYSGWYR

BOB EYNON

DREF WEN

Lluniau gan Graham Sumner

CBAC

Cyhoeddwyd dan nawdd
Cynllun Llyfrau Darllen
Cyd-bwyllgor Addysg Cymru.

© Bob Eynon 1992
Cyhoeddwyd gan Wasg y Dref Wen,
28 Ffordd yr Eglwys,
Yr Eglwys Newydd, Caerdydd.
Argraffwyd ym Mhrydain.

I Steve, Marjorie a Simon

1.

Gadawsant y disgo yn brydlon am un ar ddeg. Roedd Helen wedi addo bod yn ôl yn y tŷ erbyn chwarter i ddeuddeg. Byddai ei rhieni'n poeni petai hi'n hwyr.

Cerddasant mewn distawrwydd trwy strydoedd cul y pentref. Doedd Helen ddim yn teimlo'n hapus. Bu'r penwythnos yn fyr iawn, a byddai'n rhaid i Bradley fynd yn ôl i'r fyddin yfory.

Cyraeddasant y tŷ ac aros y tu allan i'r glwyd. Sylwodd y milwr fod wyneb Helen yn brydferth yng ngolau'r lleuad.

"Pam rwyt ti'n edrych mor drist?" gofynnodd e. "Wnest ti ddim mwynhau'r disgo?"

Ceisiodd y ferch wenu.

"Do, Brad," atebodd. "Fe fwynheuais i'r disgo. Rydw i wedi mwynhau'r penwythnos i gyd. Ond . . ."

"Ond beth?"

"Fe fydda i'n gweld dy eisiau, dyna'r cwbl."

Cydiodd Bradley ynddi a'i thynnu ato.

"Fe fydda i'n gweld dy eisiau di hefyd," meddai'n ddifrifol.

Gostyngodd y ferch ei llygaid.

"Fe hoffwn i dy wahodd di i mewn i gael coffi," meddai. "Ond mae'n mynd yn hwyr."

Cusanodd e hi ar ei thalcen.

"Paid â phoeni," meddai. "Mae popeth wedi dig-

7

wydd mor sydyn. Doeddwn i ddim wedi sylwi arnat
ti'n iawn cyn dydd Iau dwetha." Chwarddodd y milwr
yn dawel. "Pan ymunais i â'r fyddin dair blynedd yn
ôl, dim ond plentyn oeddet ti."

"Roeddwn i'n bedair ar ddeg oed," protestiodd y
ferch. "Gyda llaw, beth yw d' oedran di?"

"Un ar hugain. Pedair blynedd yn henach na thi."
Edrychodd Helen arno.

"Ydy dy ffrindiau di'n tynnu dy goes amdana i?"

"Amdanat ti? Pam?"

"Wel, dydw i ddim wedi gadael yr ysgol eto."

Cusanodd e hi'n dyner ar ei gwefusau.

"A dweud y gwir," meddai. "Maen nhw i gyd yn eiddigeddus. Ti ydy'r ferch harddaf yn y cwm."

Cochodd y ferch a gosod bys ar wefusau Bradley.

"Dwed y gwir wrtho i," meddai hi. "Wyt ti'n mynd i ysgrifennu ata i?"

Aeth wyneb y milwr yn ddifrifol am eiliad.

"Ydw," meddai. "Ond fydda i ddim yn gallu ysgrifennu atat ti am sbel — bythefnos neu fis."

"Mis . . . Ond pam?"

Roedd Bradley wedi paratoi esgus yn barod.

"Fe fydd fy uned yn mynd ar ymarferion yn Ucheldiroedd yr Alban," meddai heb betruso.

Doedd y milwr ifanc ddim yn hoffi dweud celwydd, ond doedd dim dewis ganddo. Chwe mis yn ôl roedd e wedi ymuno ag uned newydd — uned arbennig. Byddai'n rhaid iddo gael caniatâd gan ei gyrnol er mwyn ysgrifennu at Helen a chael llythyrau ganddi hi.

Syllodd y ferch arno.

"Felly, does 'na ddim swyddfeydd post yn yr Alban?"

"Fe fyddwn ni yng nghefn gwlad, ddim mewn tref," ebe Bradley'n bendant. "Mae'n ddrwg gen i, Helen."

Gwenodd y ferch yn sydyn.

9

"Wel, gaf i ysgrifennu atat ti, Brad? Rydw i'n mynd i Baris y penwythnos nesaf. Fe hoffwn i anfon cerdyn atat ti o leiaf."

"O . . . Iawn. Fe hoffwn i gael cerdyn gen ti. Ond fe fydd yn well iti ddefnyddio cyfeiriad fy rhieni — 21, Heol y Graig."

"Mae hynny'n hawdd," ebe Helen yn hapus. "Dau ddeg un. Un ar hugain. Dy oedran di."

"'Na fe. Gyda llaw, sut rwyt ti'n mynd i Baris?"

"Hedfan."

"Gyda'r teulu?"

Siglodd Helen ei phen.

"Nage. Gyda ffrind o'r ysgol."

Roedd moment o ddistawrwydd, yna,

"Merch . . . neu fachgen?"

Chwarddodd hi'n uchel.

"Wyt ti'n eiddigeddus, Brad?"

Roedd y milwr mewn penbleth.

"Nac ydw," protestiodd. "Ond . . ."

"Gyda merch, twpsyn. Siân yw ei henw hi, ac mae hi'n dysgu Ffrangeg fel fi. Wyt ti eisiau gwybod rhagor?"

Cusanodd e hi eto.

"Ydw, Helen," meddai'n dawel. "Rydw i eisio gwybod popeth amdanat ti."

2.

"Croeso'n ôl, Taff," meddai Paul Atkins pan ddaeth Bradley Williams drwy'r drws.

Edrychodd pawb i fyny. Roedden nhw'n eistedd o gwmpas bwrdd yng nghanol yr ystafell.

"Paid ag agor dy bac di, Taff," ebe Jock Douglas. "Fe fydd yr uned yn symud cyn nos."

Taflodd y Cymro y pac ar ei wely a cherddodd at y bwrdd.

"Sut oedd y penwythnos?" gofynnodd Phil Shergood, a oedd yn delio'r cardiau. Un o Gernyw oedd Shergood.

Eisteddodd Bradley i lawr rhwng Douglas ac Atkins.

"Roedd e'n dda, diolch," atebodd.

"Rho law o gardiau iddo fe, Phil," meddai Atkins. "Mae Taff yn hoff iawn o chwarae brag."

Trodd Bradley at Jock Douglas.

"Felly, rydyn ni'n symud," meddai. "I ble?"

Roedd yr Albanwr yn canolbwyntio ar y cardiau yn ei law.

"Anobeithiol," meddai'n drist. "Rydw i wedi bod yn chwarae am awr a dydw i ddim wedi ennill ceiniog!"

"Paid â chwyno, Jock," chwarddodd Atkins. "Dwyt ti ddim wedi colli ceiniog chwaith. Rwyt ti'n ormod o gybydd i fetio." Roedd Atkins yn dod o Lundain ac roedd yn hoffi tynnu coes yr Albanwr.

Trodd Bradley at Phil Shergood.

"I ble rydyn ni'n mynd?" gofynnodd eto.

Taflodd Shergood ei gardiau i lawr ar y bwrdd.

"Wn i ddim, Taff," atebodd. "Dim ond milwr cyffredin ydw i. Does neb yn dweud dim byd wrtho i."

"Canolbwyntia ar y gêm, Taff," awgrymodd Douglas. "Mae'r Cocni 'ma yn chwilboeth heddiw. Dydy e ddim wedi colli gêm eto."

Agorodd drws yr ystafell yn sydyn a daeth swyddog i mewn. Capten Broughton oedd e. Cododd pawb ar eu traed.

"Eisteddwch," ebe Broughton yn hawddgar.

Daeth at y bwrdd.

"Oes newyddion, Syr?" gofynnodd Shergood.

"Oes. Fe fyddwn ni'n symud bore 'fory am chwech o'r gloch."

Roedd pob un ohonynt yn awyddus i wybod i ble.

"Fe fyddwn ni i ffwrdd am bythefnos o leiaf," ychwanegodd Broughton. "Fe fydd hon yn rhan bwysig o'ch hyfforddiant chi. Fe fydd Sarjant Kelly yn mynd gyda chi."

"A chi, Syr?" gofynnodd Atkins.

Gwenodd y swyddog. Roedd e'n hoff iawn o'r uned 'ma.

"Fi hefyd, Atkins," atebodd. "Dydw i ddim am aros yma ar fy mhen fy hunan tra byddwch chi'n torheulo yng Ngogledd Affrica!"

3.

"Brysia, Helen. Maen nhw'n galw am deithwyr sy'n mynd i Heathrow."

Trodd Helen ac edrych ar ei ffrind, Siân. Roedd Siân yn cario bag plastig yn llawn o sigarennau, *cognac* a pheraroglau.

"Mae gormod o ddewis," cwynodd Helen. "Beth wyt ti'n meddwl fydd yn well i Bradley — Aramis neu Paco Rabanne?"

Ochneidiodd Siân yn ddwfn.

"Rwyt ti'n dwlu ar y bachgen 'na, Helen," meddai. "Rwyt ti wedi gwastraffu'r gwyliau i gyd yn meddwl amdano fe."

Doedd hynny ddim yn wir. Roedd Helen wedi cael penwythnos bendigedig ym Mharis. Ond roedd Siân wedi syrthio mewn cariad â gwas yn eu gwesty. Philippe oedd ei enw. Roedd gan Philippe ffrind o'r enw Gaston, oedd yn gweithio yng nghegin y gwesty. Roedd y pedwar ohonynt wedi mynd allan mewn grŵp, ond doedd Helen ddim wedi syrthio mewn cariad â Gaston!

Petrusodd Helen am foment arall cyn dewis yr Aramis.

"Mae Aramis yn swnio'n fwy Ffrengig," esboniodd wrth ei ffrind. "Mae Paco'n swnio'n Sbaenaidd. Wedi'r cwbl, anrheg o Ffrainc ydy hi."

Talodd am yr Aramis ac aethant allan o siop y maes awyr, croesi'r neuadd fawr ac yna dilyn y coridor hir oedd yn arwain at yr awyren.

"Roedd Philippe yn gwisgo Monsieur Worth," meddai Siân yn sydyn. "Beth am Gaston, Helen?"

"Wn i ddim," atebodd Helen. "A dweud y gwir, doedd dim diddordeb 'da fi yn Gaston."

"Ond roedd Gaston yn olygus," protestiodd Siân. "Ddim mor olygus â Philippe, wrth gwrs, ond . . ."

"Roedd Gaston yn ddeugain oed o leiaf," ebe Helen yn sych. "Ac roedd e'n gwisgo *toupee*. Ti ofynnodd i fi fynd allan gyda'r tri ohonoch chi mewn grŵp, Siân."

Chwarddodd Siân yn uchel.

"Fel roeddwn i'n dweud, rwyt ti'n dwlu ar Bradley, Helen. Doedd dim o'i le ar Gaston."

Roedd rhaid i Helen wenu. Roedd hi wedi mwynhau cwmni Siân ar y trip. Roedd Siân yn fywiog iawn. Doedd hi ddim yn brydferth, ond roedd hi'n gymdeithasgar, ac roedd pawb yn ei hoffi. Roedd Siân wedi trefnu pawb a phopeth yn y gwesty. Diolch iddi hi, roedd y penwythnos wedi bod yn ddifyr iawn.

"Mae syniad 'da fi, Siân," meddai Helen wedi

14

iddynt eistedd yng nghefn yr awyren.

"Pa syniad?"

"Y flwyddyn nesaf fe ddown ni'n ôl i Baris a chyflwyno Bradley i Philippe."

Disgleiriodd llygaid Siân.

"Syniad da," meddai. "Rydw i'n mynd i ddechrau cynilo ar unwaith."

Pan ddechreuodd yr awyren symud caeodd Siân ei llygaid. Doedd hi ddim yn hoffi hedfan. Ond roedd

15

Helen yn awyddus i weld popeth oedd yn digwydd. Yn anffodus doedd hi ddim yn eistedd wrth y ffenestr. Am eiliad, wrth i'r awyren godi, roedd Helen yn gallu gweld rhan o'r brifddinas odanynt. Meddyliodd am Dŵr Eiffel, afon Seine, a'r Champs Elysées.

"Dos i weld Paris . . . a marw," meddai'n uchel wrthi ei hunan.

"Sh . . . !" sibrydodd Siân. "Paid â siarad am farw. Mae fy nghalon yn fy ngwddf yn barod!"

Yng nghanol yr awyren roedd dyn wedi codi ar ei draed. Dyn bach tywyll oedd e. Doedd yr arwyddion *Fasten Your Seatbelts* ddim wedi eu diffodd eto, a daeth stiwardes i weld beth oedd yn digwydd.

Gwelodd Helen y dyn yn siarad â'r stiwardes am foment, ac yna'n tynnu dryll o'i boced . . .

4.

Crac . . . Crac . . . Crac !

Saethodd Bradley dair gwaith a chwympodd tri tharged.

Daeth Sarjant Kelly i benlinio wrth ei ochr.

"Da iawn, Williams," meddai gan edrych ar ei wats. "Mae tri munud 'da chi i gyrraedd y tanc."

Neidiodd y Cymro ar ei draed a dechreuodd redeg. Roedd y tywod yn feddal a doedd hi ddim yn hawdd rhedeg heb syrthio. Cyn hir roedd y chwys yn rhedeg i lawr ei wyneb fel afon.

Cyrhaeddodd y ffens a dechreuodd ddringo er gwaetha'r wifren bigog. Ffrwydrodd fflach ar ei chwith ond llwyddodd i gyrraedd ochr arall y ffens heb anaf. Roedd Atkins a Shergood yn sefyll yn ei ffordd fel mur ond rhuthrodd ymlaen gan eu gwthio nhw allan o'r ffordd.

Roedd Capten Broughton yn aros amdano wrth y tanc. Pwysodd y swyddog fotwm ar ei wats.

"Dau funud, pedwar deg eiliad," meddai wrth i Bradley gyrraedd y tanc. "Ddim yn ddrwg, Williams. Ewch draw at y babell."

Roedd Douglas yn eistedd wrth fwrdd yn y babell. Edrychodd i fyny pan ddaeth y Cymro i mewn.

"Te, Taff?" gofynnodd.

Arllwysodd y te heb aros am ateb. Roedd yn amlwg bod Bradley wedi blino'n lân.

"Diolch, Jock," meddai'r Cymro gan sychu'r chwys o'i dalcen. Roedd ei galon yn curo fel drwm.

"Sut wnest ti?" gofynnodd Douglas gan estyn y cwpan iddo.

"Dau funud pedwar deg. Beth amdanat ti?"

"Tri munud union. Ti ydy'r gorau, Taff."

"Roeddwn i'n lwcus," cyfaddefodd Bradley. "Fe daflon nhw'r fflach yn rhy hwyr. Roeddwn i wedi cyrraedd pen y ffens yn barod."

Eisteddodd i lawr gyferbyn â'i ffrind a sipiodd y te. Roedd syched mawr arno ac roedd y te'n dda.

"Rydw i'n falch fod popeth wedi mynd yn iawn," meddai Jock Douglas yn sydyn. "Roeddwn i'n dechrau poeni amdanat ti, Taff."

Edrychodd Brad arno fe.

"Poeni amdana i . . . Pam?"

Cododd Douglas ei ysgwyddau.

"O, wn i ddim. Ond rwyt ti wedi newid."

"Ers pryd?"

"Ers dy benwythnos gartref. Ers iti ddod yn ôl rwyt ti wedi bod mewn breuddwyd. Ydy popeth yn iawn?"

Gwenodd y Cymro'n swil.

"Doeddwn i ddim yn gwybod dy fod ti'n seiciatrydd, Jock," meddai.

"Rwyt ti wedi bod yn dawel, yn fwy tawel nag arfer. Dyna'r cwbl."

Petrusodd Brad am foment cyn siarad.

"Fe gwrddais i â merch pan oeddwn i gartref . . . Rydw i'n dal i feddwl amdani hi."

"A. . ." Roedd yr Albanwr yn deall nawr. Yr hen stori oedd hi. Cariad!

Agorodd drws y babell a daeth Atkins a Shergood i mewn. Roedd y ddau ohonynt yn edrych yn flinedig iawn.

"Os nad oes te ar ôl, Jock," meddai Atkins yn ei acen Cocni, "fe fydda i'n sathru ar dy ben di!"

18

Eisteddodd i lawr fel hen ŵr.

"Fe wna i de ffres," meddai Douglas. "Ble mae Kelly a'r capten?"

"Maen nhw'n gwrando ar y radio," atebodd Shergood.

"Beth . . . Radio Un?" chwarddodd Douglas.

"Nage. Rhywbeth am awyren Air France sy wedi mynd ar goll."

Cododd yr Albanwr ei ysgwyddau.

"O wel," meddai heb ddiddordeb. "Problem y Ffrancwyr ydy honno, nid ein problem ni."

5.

Pan glywodd y peilot y gloch yn canu, pwysodd fotwm er mwyn agor y drws i'r stiwardes.

"Efallai fod rhywun yn sâl," meddai wrth ei gydbeilot. Roedd yr awyren yn dal i ddringo a dylai pawb fod yn eu seddau. Clywodd e'r drws yn agor.

"Ie, Bev?" meddai heb droi ei ben. "Beth sy'n bod?"

Teimlodd ddur oer ar ochr ei ben, a chlywodd lais yn dweud,

"Dryll ydy hwn. Gwrandewch yn ofalus a pheidiwch â gwneud unrhyw beth ffôl!"

Roedd y dyn yn siarad Ffrangeg, ond gydag acen

19

ryfedd.

"Beth ŷch chi eisiau?" gofynnodd y peilot yn dawel. Roedd e'n gwybod bod yn rhaid iddo ymateb yn bwyllog.

"Rydw i eisiau ichi newid cyfeiriad. Fyddwn ni ddim yn glanio yn Lloegr."

"Beth ŷch chi'n awgrymu?" gofynnodd y peilot.

"Affrica," ebe'r dyn gyda'r dryll. "Gogledd Affrica i ddechrau."

Gwenodd y peilot yn wan.

"Amhosibl," meddai heb godi ei lais.

Gwthiwyd y dryll yn galetach yn erbyn ei ben.

"Amhosibl? . . . Pam?"

"Mae Affrica'n rhy bell."

Trodd y dyn at y cyd-beilot.

"Ydy e'n dweud y gwir?" gofynnodd.

"Ydy. Does dim digon o danwydd 'da ni. Jyst digon i gyrraedd Heathrow. Ond Affrica? . . . Dim gobaith."

"Peidiwch â siarad am obaith," ebe'r dyn yn oeraidd. "Os nad ydych chi'n dilyn fy ngorchmynion, fydd dim gobaith i chi nac i'r teithwyr."

Meddyliodd y peilot am foment.

"O'r gorau," meddai. "Ond fe fydd rhaid inni lanio er mwyn cael tanwydd. Gaf i awgrymu Toulouse?"

Siglodd y dyn ei ben.

"Ddim Toulouse," atebodd. "Dydw i ddim yn trystio'r Ffrancwyr."

"Ble, 'te?"

"Beth am Barcelona?"

"Rhy bell," ebe'r cyd-beilot. "Gerona efallai. Ond fe fyddwch chi'n cymryd siawns."

Chwarddodd y dyn yn eironig.

"Fe gymeron ni siawns pan ddaethon ni ar yr awyren a gynnau ganddon ni," meddai.

Roedd y teithwyr yn eistedd mewn distawrwydd yn gwylio'r pedwar terfysgwr a oedd yn sefyll ar hyd eil yr awyren. Roedd un ohonynt yn sefyll wrth ochr Helen yng nghefn yr awyren. Roedd e'n cario gwn fel y lleill, ond roedd e'n edrych yn nerfus. Llanc golygus oedd e, a chroen tywyll a gwallt du ganddo. Roedd e'n ifancach na'r lleill, tua dwy ar bymtheg oed efallai.

Yn sydyn clywsant lais y capten ar y radio mewnol. Siaradodd yn Ffrangeg yn gyntaf ac wedyn yn Saesneg.

"Foneddigion a boneddigesau," meddai. "Mewn munud fe fyddwn ni'n newid cyfeiriad ac yn troi am Sbaen. Fel rydych chi'n gwybod mae dynion yn yr awyren sy'n cario gynnau. Trafodwch nhw yn ofalus. Efallai eu bod nhw'n fwy nerfus na chi ar hyn o bryd. Does dim rheswm ichi boeni. Fe fyddwn ni'n glanio yn Gerona, ac wedyn fe siarada i â chi eto."

6.

Roedd hi'n tywyllu pan yrrodd y jîp drwy strydoedd brwnt y ddinas. Doedd y pedwar milwr yng nghefn y cerbyd ddim yn gwybod dim am yr hyn oedd yn digwydd. Roedden nhw wedi gadael eu gwersyll yn yr anialwch ar frys, ond doedd Capten Broughton ddim wedi dweud gair wrthynt yn ystod y daith hir.

Safodd y jîp o flaen clwyd fawr ar gyrion y dref. Agorwyd y glwyd gan ddyn mewn gwisg swyddogol. Wrth fynd i mewn i'r iard gwelodd Bradley arwydd ar golofn faen: *British Embassy*.

Daeth dyn allan o'r tŷ a chroesawu Capten Broughton. Wedi iddynt siarad am rai eiliadau, diflannodd y ddau i mewn i'r tŷ. Roedd y milwyr yn meddwl y byddai'n rhaid iddynt aros yn y jîp, ond daeth dyn arall allan o'r tŷ a dweud wrthynt,

"Mae ystafell yn barod ichi. Dewch â'ch bagiau. Efallai y bydd yn rhaid ichi dreulio'r noson yn y llysgenhadaeth."

Roedd rhywun wedi paratoi pryd iddynt. Roedd yn dda ac roedd bocs o sigârs ar y bwrdd. Ar ôl bwyta taniodd rhai ohonynt sigâr tra'n aros i'r capten ddod yn ôl.

Ymddangosodd Broughton am chwarter wedi deg. Edrychai'n ddifrifol iawn. Eisteddodd ar ben y bwrdd a dechreuodd siarad.

"Y bore 'ma," meddai, "fe gipiodd grŵp o derfysgwyr awyren oedd newydd adael maes awyr Orly ym Mharis. Ers hynny mae'r awyren wedi glanio yn Gerona ac Athen i gael tanwydd. Am hanner nos fe fydd hi'n glanio ym maes awyr y ddinas hon."

Taniodd e sigarét cyn mynd yn ei flaen.

"Mae'r terfysgwyr yn gofyn am ddeng miliwn o

ddoleri, neu fe fyddan nhw'n lladd y criw a'r teithwyr. Mae'r awyren yn perthyn i Air France, ond mae mwyafrif y teithwyr yn dod o Brydain."

"Beth ydyn ni'n ei wybod am gynlluniau'r terfysg-wyr?" gofynnodd Sarjant Kelly. "Fyddan nhw'n treulio'r noson yma, neu'n hedfan i ffwrdd eto?"

"Dydyn ni ddim yn gwybod," atebodd y capten. "Ond fe fydd ein llysgennad ni'n ceisio siarad â nhw. Maen nhw'n anfon rhywun o Lundain hefyd."

Chwythodd e fwg at y nenfwd.

"Fe fydd llywodraethau Prydain a Ffrainc yn ceisio datrys y broblem yn heddychlon," meddai. "Ond mae'n rhaid inni fod yn barod i fynd i mewn os bydd pethau'n troi'n ddrwg."

"Gyda chytundeb llywodraeth y wlad 'ma?" gofynnodd Paul Atkins.

"Wrth gwrs. Maen nhw wedi rhoi eu caniatâd yn barod."

Roedd y capten yn sefyll yng ngardd y llysgenhadaeth gan ysmygu sigarét ac edrych ar y sêr pan welodd e filwr yn dod ato.

"O, Williams," meddai. "Beth sy'n bod?"

Petrusodd Bradley am foment.

"Fe gwrddais i â merch pan oeddwn i gartref wythnos yn ôl, Syr."

"Llongyfarchiadau," ebe Broughton dan wenu.

"Mae . . . mae hi wedi bod ym Mharis dros y penwythnos. Roedd hi'n dal awyren am ddeg o'r gloch y bore 'ma."

"I ble . . . Caerdydd?"

"Nage. Heathrow."

"Rwy'n deall beth sy gen ti, Williams. Dyna'r awyren gafodd ei chipio. Mae'n ddrwg gen i . . ."

"Ond os bydd rhaid inni . . ."

"Dim *os* o gwbl, Williams. Rydych chi'n gwybod rheolau'r Unedau Arbennig. Mae'r peth yn rhy bersonol i chi. Fyddwch chi ddim gyda ni. Diolch am fod mor onest."

7.

Doedd Siân ddim yn edrych yn dda o gwbl. Roedd hi'n cysgu ond roedd hi'n anadlu'n afreolaidd. Y tu allan i'r awyren roedd y wawr yn torri ac yn dechrau goleuo adeiladau gwyn y maes awyr.

Doedd gan Helen ddim syniad ble roedden nhw wedi glanio yn ystod y nos. Ond roedd hi'n gobeithio y bydden nhw'n aros yno am sbel. Roedd yr awyren wedi glanio dair gwaith ers iddynt adael Paris, ac erbyn hyn roedd ysbryd y teithwyr wedi dirywio'n fawr.

Roedd dau derfysgwr yn gwylio'r teithwyr. Ar ben

draw'r eil, yn rhan flaen yr awyren, roedd dyn tal â mwstás hir yn sefyll gan ddal math o wn sten yn ei ddwylo. Y tu ôl i Helen a Siân safai'r llanc â'r gwallt du, a dryll yn ei law.

Agorodd Siân ei llygaid.

"Ble rydyn ni?" gofynnodd i Helen. "Ydyn ni wedi symud eto?"

"Nac ydyn. Dydyn ni ddim wedi symud. Sut rwyt ti'n teimlo?"

"Ofnadwy. Mae syched mawr arna i. Oes rhywbeth i yfed?"

Siglodd Helen ei phen. Roedd hi'n oer yn yr awyren ond cyn hir byddai'r haul yn codi. A fyddai hi'n twymo? Oedden nhw mewn gwlad boeth? Ceisiodd Helen feddwl am rywbeth arall.

Yna teimlodd law ar ei hysgwydd. Edrychodd i fyny. Roedd y llanc yn cynnig potelaid o ddŵr Perrier iddi. Cymerodd Helen y botel a'i rhoi i'w ffrind.

Profodd Siân y dŵr. Roedd e'n flasus ar ei thafod.

"O, mae'n hyfryd," meddai. "Diolch."

Cymerodd Helen y botel a'i chynnig i'r llanc. Siglodd e ei ben.

"Pour vous," meddai. Edrychodd Siân o'i chwmpas a gweld merch bump neu chwech oed yn syllu ar y botel. Heb aros am ganiatâd cododd Helen a rhoddodd y botel i rieni'r ferch fach.

Gwaeddodd y terfysgwr arall rywbeth o ben arall yr

eil. Roedd ei lais yn grac.

"Asseyez-vous, Mademoiselle," ebe'r llanc gan ddal ei braich hi. "Asseyez-vous!"

Eisteddodd Helen yn ei sedd heb brotestio. Roedd hi'n teimlo'n fodlon a gwenodd ar y llanc.

"Merci, Monsieur," meddai'n ffurfiol.

Aeth wyneb y llanc yn goch, ond roedd y dyn arall yn dal i weiddi arno.

Doedd Helen ddim yn deall yr un gair. Doedd y dyn ddim yn siarad yn Ffrangeg, ond roedd yn amlwg ei fod e'n rhoi stŵr i'r llanc am adael i Helen godi fel yna.

Gwrandawodd y llanc mewn distawrwydd am sbel. Yna rhoddodd e ateb siarp i'w bartner. Cododd y dyn arall ei ysgwyddau ond peidiodd â gweiddi. Yna trodd y llanc a winciodd ar y ddwy Gymraes.

8.

Roedd yr uned arbennig wedi symud i'r maes awyr yn ystod y nos. Roedden nhw mewn ystordy heb ffenestri achos doedden nhw ddim eisiau i neb wybod eu bod nhw yn y maes awyr. Roedd ffôn yn ystafell Capten Broughton ac roedd pobl yn ei alw bob chwarter awr ond doedd neb yn dod i'r ystordy ei hunan.

Treuliasant yr amser yn glanhau eu harfau, yn chwarae cardiau, ac yn meddwl. Roedd Bradley yn pryderu am Helen o hyd. Roedd hi ar yr awyren yng nghanol y maes awyr ond fyddai e ddim yn gallu mynd i mewn gyda'i uned i achub y teithwyr. Roedd pawb yn teimlo'n nerfus, ond roedd Bradley yn fwy nerfus na neb.

"Taff," meddai Jock Douglas wrtho. "Mae'n rhaid iti ymlacio."

"Oes," cytunodd y Cymro. Ond sut? Roedd e ar bigau'r drain.

Am hanner dydd siaradodd y capten â'r grŵp.

"Gadewch inni sôn am y sefyllfa dactegol i ddechrau," meddai. "Fe laniodd yr awyren am un o'r gloch y bore 'ma. Yn lle aros yn yr awyren, fel roedd pawb yn disgwyl, agorodd y terfysgwyr un o'r drysau yn syth ar ôl glanio. Fe neidiodd un ohonyn nhw i'r llawr ac mae'n sefyll o dan yr awyren. Mae gwn awtomatig 'da fe. Mae terfysgwr arall yn eistedd wrth y drws agored. Mae gwn awtomatig 'da fe hefyd. Does neb yn gallu agosáu at yr awyren heb i un o'r terfysgwyr ei weld."

"Faint ohonyn nhw sy yn yr awyren, Syr?" gofynnodd Phil Shergood. "Oes gennych chi unrhyw syniad?"

Nodiodd Broughton ei ben.

"Os ydy'n gwylwyr ni'n iawn," atebodd, "mae tri ohonyn nhw yn yr awyren. Mae un yn y caban gyda'r criw, ac mae dau yn gwylio'r teithwyr. Wrth gwrs,

mae gynnau gyda nhw hefyd, ond dydyn ni ddim yn siŵr pa fath o ynnau."

"Beth am fomiau?" gofynnodd Paul Atkins.

"Dydyn nhw ddim wedi sôn am fomiau," atebodd y swyddog. "A hyd yn hyn dydyn nhw ddim wedi ceisio ein twyllo ni. Mae'r terfysgwyr 'ma'n broffesiynol iawn. Maen nhw eisiau setlo'r peth yn gyflym."

Cododd Sarjant Kelly'n sydyn. Roedd ei wyneb yn wyn.

"Esgusodwch fi, Syr," meddai. "Gaf i fynd allan am funud?"

Nodiodd Broughton ei ben ac aeth Kelly allan.

Trodd y swyddog at y dynion.

"Nawr gadewch inni drafod y sefyllfa wleidyddol," meddai. "Mae llysgenhadon Prydain a Ffrainc wedi cysylltu â'r terfysgwyr ar y radio. Mae'r terfysgwyr yn medru Ffrangeg ond dydyn nhw ddim yn dod o Ffrainc. A dweud y gwir dydyn ni ddim yn gwybod o ble maen nhw'n dod, ac mae hynny'n anfantais i ni."

"Beth mae'r llysgenhadon yn meddwl o'r sefyllfa, Syr?" gofynnodd Jock Douglas.

"Dydyn nhw ddim yn obeithiol iawn," atebodd Broughton yn onest. "Fel rydych chi'n gwybod, dydy llywodraethau Prydain a Ffrainc ddim yn barod i fargeinio â therfysgwyr."

Teimlodd Bradley y gwres yn codi i'w fochau.

"Ond beth am y teithwyr?" gofynnodd yn ddig.

Edrychodd y capten arno.

"Dydyn nhw ddim mewn perygl eto," meddai. "Ond os na fydd cytundeb erbyn deg o'r gloch heno mae'r terfysgwyr yn bygwth lladd aelod o'r criw bob hanner awr . . ."

9.

Roedd y sefyllfa yn yr awyren wedi gwella tipyn. Roedd y terfysgwr ifanc wedi cael dadl fywiog gyda'i bartner oedd yn sefyll ar ben arall yr eil ac ymhen peth amser gadawodd hwnnw i'r stiwardes roi diodydd i'r teithwyr. Roedd syched ofnadwy arnynt erbyn hyn, gan fod yr haul yn uchel yn yr awyr las.

"Rydw i'n siŵr ein bod ni yn Affrica," meddai Siân wrth ei ffrind.

"Sut rwyt ti'n gwybod?" atebodd Helen. "Dydw i ddim wedi gweld neb ar y maes awyr."

"Mae'r haul mor gryf," esboniodd Siân. "Ac mae'r ddaear mor wastad. Rydw i'n meddwl ein bod ni yn y Sahara."

Roedd Siân yn sipio ei sudd oren tra oedd hi'n siarad. Roedd hi'n teimlo'n well. Roedd y teithwyr eraill wedi dechrau ymlacio hefyd. Roedden nhw'n ddiolchgar am y diodydd. Efallai y byddai pethau'n gwella cyn bo hir. Doedden nhw ddim wedi clywed am y bygythiad i ladd aelodau'r criw.

Gwenodd Siân ar Helen.

"Dydy'r llanc 'na ddim yn gallu peidio â syllu arnat ti, Helen," meddai gan nodio ei phen i gyfeiriad y terfysgwr ifanc.

"Paid â siarad lol, Siân," atebodd Helen. "Dydw i ddim yn teimlo fel jocan."

"Ond dydw i ddim yn hoffi ei ffrind," meddai Siân. "Mae golwg galed arno fe."

Roedd Helen yn meddwl am rywun arall — milwr ifanc oedd ar gwrs hyfforddi yn Ucheldiroedd yr Alban. Beth roedd e'n ei wneud nawr . . . yn dringo mynydd gyda'r gwynt ffres yn chwarae ar ei wyneb? Roedd hi mor boeth yma yn yr awyren. Oedd Brad wedi clywed y newyddion? Oedd e'n pryderu amdani?

"Fe fydd fy rhieni i mewn panig," ebe Siân yn sydyn. "Maen nhw'n poeni amdana i trwy'r amser."

Cochodd Helen. Yn lle meddwl am ei rhieni roedd hi'n breuddwydio am fachgen oedd bron yn ddieithryn iddi.

"Fe fydd pawb gartre wedi clywed amdanon ni erbyn hyn," meddai Siân, "achos mae Mam yn siarad yn ddi-baid!"

"Cigarette, Mademoiselle . . . ?"

Edrychodd y ddwy ferch i fyny. Roedd y terfysgwr ifanc yn cynnig paced o sigarennau iddynt. Siglodd Helen ei phen.

"Non, merci," meddai.

Edrychodd y llanc yn siomedig, ond estynnodd Siân ei llaw a chymryd un.

"Dydw i ddim yn ysmygu fel arfer, ond mae'r amser yn hir," esboniodd wrth ei ffrind. Yna trodd a gwenu ar y llanc.

"Merci, Monsieur," meddai. "Vous êtes très aimable."

10.

"A, Williams. Dewch i mewn."

Aeth Bradley i mewn i'r ystafell.

"Ydych chi eisiau imi gau'r drws, Syr?" gofynnodd.

"Ydw." Caeodd y Cymro y drws y tu ôl iddo a cherddodd at y ddesg. "Eisteddwch i lawr, Williams."

Doedd Capten Broughton ddim yn edrych yn hapus o gwbl. Roedd pecyn o sigârs ar y bwrdd o'i flaen, ond tynnodd faco o'i boced a dechreuodd lenwi ei bib.

"Dydych chi ddim yn ysmygu, Williams?"

"Nac ydw, Syr."

Nodiodd Broughton ei ben.

"Mae'r llysgennad wedi rhoi'r sigârs imi," meddai. "Ond mae'n well 'da fi ysmygu pib pan mae problem 'da fi."

Ddywedodd Bradley ddim gair, felly aeth y swyddog yn ei flaen.

"Wrth gwrs, mae llawer o broblemau 'da fi, Williams — pwysau gwleidyddol, pwysau milwrol . . ."

Rhoddodd e fatsen i'r bib a gloywodd y baco am eiliad.

"Mae Kelly'n dost," meddai'n sydyn. "Mae gwres ofnadwy arno. Fydd e ddim yn gallu dod gyda ni."

Meddyliodd Bradley am foment.

"Felly os bydd rhaid i'r uned fynd i mewn . . ."

"Does dim *os*," meddai Broughton. "Rydyn ni'n symud i mewn heno, neu fe fydd uned Ffrainc yn achub y blaen arnon ni. Fydd llywodraeth Ffrainc ddim yn gadael i derfysgwyr ladd aelodau o griw Air France. Ar y llaw arall, fydd llywodraeth Prydain ddim am adael i uned arbennig Ffrainc ymosod ar yr awyren pan mae mwyafrif y teithwyr yn dod o Brydain."

"Mae hynny'n rhesymol," sylwodd Bradley'n dawel. "Ein pobl ni ydyn nhw."

"Dydy'r rheolau ddim yn cyfrif nawr, Williams. Mae eich ffrind chi ar yr awyren, ond fe fydd rhaid ichi gymryd lle Kelly. Beth bynnag, fydd eich ffrind ddim yn eich adnabod, achos fe fyddwch chi'n gwisgo mwgwd. Ond cofiwch chi hyn — mae ein gwaith ni heddiw yn gwbl gyfrinachol. Chewch chi byth sôn amdano wrth eich cariad nac wrth neb arall."

Gwenodd Bradley arno.

"Chi sy'n rhoi'r gorchmynion, Syr. Fe fydda i wrth fy modd yn ymuno â chi. Oes cynllun 'da chi?"

"Oes. Am ugain munud i ddeg fe fydd awyren yn hedfan yn isel uwchben y maes awyr. Ar yr un pryd fe fydd goleuadau'r maes awyr yn cael eu diffodd. Dyna pryd yr awn ni i mewn . . . dan saethu!"

11.

Roedd yr awyrgylch yn yr awyren wedi newid. Ers naw o'r gloch roedd y terfysgwr ar ben arall yr eil yn edrych yn fwy nerfus. Roedd yn ysmygu'n ddi-baid ac roedd e'n siarad o bryd i'w gilydd ar ei radio â'r terfysgwr yng nghaban y peilot.

"Rydw i'n siŵr y bydd rhywbeth yn digwydd cyn bo hir," sibrydodd Siân wrth Helen.

Roedd Helen yn teimlo'n nerfus hefyd. Edrychodd hi ar y terfysgwr ifanc oedd yn sefyll yn agos atynt. Roedd y llanc yn edrych yn flinedig iawn, ond doedd e ddim yn gallu ymlacio am funud. Gwelodd e'r Gymraes yn syllu arno a gwenodd arni hi fel petai e eisiau dweud: Paid â phoeni; fe fydd popeth yn iawn.

Ond roedd yn amhosibl i Helen ymlacio. Roedd rhai o'r teithwyr yn cysgu, y plant yn enwedig, ond roedd y mwyafrif ohonynt ar ddi-hun ac roedden nhw'n gallu teimlo'r tensiwn yn codi bob munud.

Yng nghaban yr awyren edrychodd y terfysgwr ar ei wats a gweld mai hanner awr wedi naw oedd hi — hanner awr i fynd cyn dechrau'r lladd. Roedd tri pherson arall yn y caban gydag ef — y peilot, y cyd-beilot a stiwardes.

Tynnodd baced o sigarennau o'i boced a'i estyn i'r stiwardes.

"Taniwch sigarét imi," gorchmynnodd. Doedd e ddim eisiau rhoi ei ddryll i lawr. Rhoddodd y ferch y sigarét yn ei cheg a'i thanio â thaniwr Ronson. Pan roddodd hi'r sigarét yn ôl iddo roedd mymryn o finlliw arni.

Tynnodd y terfysgwr yn ddwfn ar y sigarét, yna,

"Galwch yr awdurdodau eto," meddai wrth y peilot.

Roedd wyneb y peilot yn flinedig iawn, ond cododd e dderbynnydd y radio a dweud,

"Air France 032K yn galw; Air France . . ."

Cafodd ateb ar unwaith. Gafaelodd y terfysgwr yn y derbynnydd â'i law rydd.

"Hylo," meddai. "Ydy'r gwleidyddion wedi gwneud penderfyniad, neu ydyn nhw'n dal i siarad?"

Tra oedd e'n gwrando ar yr ateb roedd aelodau'r criw yn edrych arno'n bryderus.

"Rwy'n gweld," meddai'r terfysgwr mewn llais oer. "Wel, mae'n rhaid imi siarad yn blaen. Mae stiwardes

ifanc yma yn y caban gyda fi. Mewn llai na hanner awr
fe fydd hi'n cael ei saethu yn ei phen . . ."

Dechreuodd y peilot godi o'i sedd. Roedd ei wyneb
yn wyn.

"Salaud!" gwaeddodd yn Ffrangeg. "Espèce de
. . ."

Daeth y terfysgwr â'r gwn i lawr yn drwm ar ben y
peilot a chwympodd y dyn i'r llawr. Yna cyfeiriodd e'r
gwn at y cyd-beilot.

"Gan bwyll, Monsieur," meddai. "Neu fe fydd eich
ffrind y stiwardes yn marw yr eiliad hon."

12.

Roedd aelodau'r uned arbennig yn eistedd yng nghefn
lori y tu ôl i'r ystordy lle roedden nhw wedi treulio'r
diwrnod. Roedd drysau'r lori wedi eu cau ac roedd
Atkins, Douglas, Bradley a Capten Broughton yn
eistedd mewn tywyllwch hollol. Fel yna, bydden
nhw'n gallu ymdopi'n well pan fyddai goleuadau'r
maes awyr yn cael eu diffodd. Roedd pob un ohonynt
yn gwisgo dillad du, a mwgwd yn cuddio'i wyneb.

Clywsant sŵn awyren yn y pellter. Roedd y sŵn yn
agosáu.

"Mae'r cynllun yn dechrau," meddai Broughton yn
dawel. "Pob lwc."

Roedd yr awyren yn hedfan yn isel fel petai hi'n mynd i lanio ar y maes awyr. Ymhen hanner munud byddai'r sŵn yn ofnadwy.

Roedd Phil Shergood yn eistedd yn sedd flaen y lori. Taniodd e'r peiriant a dechreuodd y lori symud. Cyrhaeddodd gornel yr adeilad a stopiodd am foment, yna diffoddwyd goleuadau'r maes awyr.

"Nawr!" meddai Shergood wrtho ei hunan, a phwysodd yn galed ar y sbardun. Roedd yn rhaid iddo yrru'n gyflym, ond hefyd yn ofalus achos doedd e ddim yn gallu cynnau goleuadau'r lori.

Roedd yr awyren Air France mewn tywyllwch hefyd ond roedd Shergood yn gallu ei gweld hi yng ngolau'r sêr. Roedd rhaid iddo gyrraedd yr awyren cyn i'r terfysgwyr lwyddo i gynnau'r goleuadau mewnol.

Cyfeiriodd e'r lori at ochr bellaf yr awyren, lle nad oedd drws ar agor. Yn y cyfamser roedd yr awyren arall yn hedfan yn union uwchben y maes awyr ac roedd y sŵn yn ofnadwy. Gwenodd Shergood. Fyddai neb yn clywed yr ergydion.

Stopiodd e'r lori wrth ochr yr awyren a neidiodd Broughton a Jock Douglas allan o'r cefn. Roedd Bradley ac Atkins yn fwy araf, gan eu bod nhw'n cario'r grisiau y bydden nhw'n eu defnyddio i ddringo i mewn i'r awyren.

Aeth Jock Douglas yn syth at y terfysgwr oedd yn sefyll o dan yr awyren. Welodd y terfysgwr mohono fe'n dod yn y tywyllwch. Daeth Douglas â'i ddryll i lawr yn galed ar ben y dyn a syrthiodd hwnnw i'r ddaear fel sachaid o datws.

Rhedodd y swyddog heibio iddo. Cyrhaeddodd ochr arall yr awyren ac edrychodd i fyny ar y drws agored. Roedd yr ail derfysgwr yn eistedd y tu ôl i'r gwn awtomatig. Gwelodd y dyn rywbeth yn symud ar y ddaear oddi tano, a cheisiodd gyfeirio'r gwn at y targed. Ond roedd yn rhy araf. Saethodd Broughton ato dair gwaith a chwympodd y terfysgwr yn ôl gyda dwy fwled yn ei ben.

Gwelodd Bradley y capten yn codi ei law i alw am y grisiau. Doedd e ddim yn gallu clywed yr un gair, ond roedden nhw wedi ymarfer pob symudiad yn ystod y dydd.

Aeth Broughton, Atkins a Bradley Williams i fyny'r grisiau heb betruso. Daethant i goridor cul rhwng y caban ac adran y teithwyr. Yn sydyn daeth golau glas ymlaen uwch eu pennau. Roedd y cyd-beilot wedi cynnau'r goleuadau.

Pwysodd Broughton ar fotwm gwyn wrth ochr drws y caban. Agorodd y drws a rhuthrodd y swyddog i mewn. Clywodd Bradley ergyd, yna ergyd arall. Aeth Atkins drwy'r drws a'i wn awtomatig yn barod. Doedd dim rhaid iddo ei ddefnyddio; trodd yn ôl a gwenodd ar Bradley.

Aeth y goleuadau ymlaen yn adran y teithwyr. Roedd swn yr awyren uwch eu pennau wedi gwanhau tipyn. Gwelodd Helen y terfysgwr sarrug yn chwarae gyda botwm radio. Roedd e'n ceisio cysylltu â'i bartner yng nghaban y peilot.

Crac . . . Crac . . . ! Clywodd y terfysgwr yr ergydion yn glir ar y radio a deallodd mewn fflach fod popeth — yr awyren uwch eu pennau, y tywyllwch ar y maes awyr — wedi ei baratoi fel cynllun i ryddhau'r teithwyr a'r criw.

Gwelodd Helen y terfysgwr sarrug yn codi ei wn awtomatig ac yn ei gyfeirio at y rhesi o deithwyr o'i flaen.

"O, na . . ." gwaeddodd hi. "Na . . . !"

Clywodd hi ergyd yn agos at ei chlust. Roedd y terfysgwr ifanc yn tanio. Gwelodd Helen y terfysgwr sarrug yn cymryd cam ymlaen. Taniodd y llanc eto a syrthiodd ei bartner i'r llawr heb lwyddo i saethu unwaith . . .

Roedd Bradley yn aros o flaen drws adran y teithwyr pan glywodd yr ergydion. Gwthiodd y drws yn galed a gwelodd ddyn yn syrthio i'r llawr o'i flaen. Ar ben arall yr eil roedd dyn ifanc yn sefyll gan ddal gwn yn ei ddwylo. Phetrusodd y Cymro ddim, a dechreuodd saethu ar unwaith.

Taflodd ei fwledi'r terfysgwr ifanc yn ôl. Ond yna

gwelodd Bradley ferch yn codi ei braich fel petai hi eisiau rhwystro'r dyn rhag cwympo. Peidiodd â saethu, ond yn rhy hwyr. Trawodd un o'r bwledi fraich y ferch.

Rhedodd y Cymro i'r man lle roedd y terfysgwr yn gorwedd. Roedd llygaid brown y llanc yn agored ac yn syllu at y nenfwd. Roedd yn amlwg ei fod e'n farw. Trodd Bradley am eiliad at y ferch a chafodd e sioc o weld mai Helen oedd hi. Roedd ei hwyneb yn wyn ac roedd y gwaed yn llifo i lawr ei dillad.

Tynnodd rhywun ar lawes ei grys. Atkins oedd e. Ar ben arall yr eil roedd Broughton yn gweiddi ar y teithwyr i gadw'n dawel. Trodd y Cymro ei gefn ar y ferch a dilynodd Atkins at y drws . . .

13.

Pan agorodd Mrs Morris y drws gwelodd hi lanc golygus yn sefyll yno gyda thusw o flodau pinc yn ei law.

"O," meddai hi. "Chi ydy Bradley?"

"Ie. Brad ydw i."

Roedd y llanc yn gwisgo siwt lwyd, crys gwyn a thei coch tywyll, ac roedd e'n edrych yn nerfus.

"Wel, dewch i mewn."

Arweiniwyd e i mewn i'r lolfa lle roedd Mr Morris

yn eistedd mewn cadair freichiau gan ddarllen papur
newydd ac ysmygu pib.

"Mae Bradley wedi cyrraedd, John."

Cododd Mr Morris ar ei draed ac estynnodd ei law
i'r llanc.

"Hylo, Bradley," meddai. "Felly milwr ydych chi?"

"Ie, Syr," ebe Bradley, braidd yn ffurfiol.

Gwenodd tad Helen arno.

"Rydw i'n nabod eich tad chi'n dda," meddai. "Fe
wnaethon ni'n gwasanaeth milwrol yn yr un uned.
Roedden ni gyda'n gilydd yng Nghyprus . . ."

"Rydw i'n gwybod," atebodd Bradley. "Mae fy
nhad wedi sôn amdanoch chi. Mae e'n hoffi siarad am
yr hen ddyddiau." Trodd e at Mrs Morris. "Sut mae
Helen?" gofynnodd yn bryderus.

"Wel, mae ei braich hi'n gwella'n gyflym," atebodd
Mrs Morris. "Ond dyw hi ddim yn bwyta'n dda. Yn ôl
y meddyg mae hi'n dal i ddioddef o sioc o hyd. A
dweud y gwir rydw i'n dechrau poeni amdani hi, achos
mae wythnos wedi mynd heibio'n barod."

"Gaf i ei gweld hi?"

"Wrth gwrs. Mae hi yn ei stafell ar ben arall y
coridor."

Curodd y milwr yn dawel ar y drws.

"Dewch i mewn."

Roedd Helen yn eistedd ar soffa ger y ffenestr.
Roedd ei braich mewn sling ac roedd hi wedi colli

pwysau.

"Brad," meddai. "Diolch iti am ddod."

Croesodd e'r ystafell a rhoi'r blodau iddi.

"Sut rwyt ti'n teimlo?" gofynnodd.

"Fi? O, rydw i'n iawn, diolch."

Wahoddodd hi mohono i eistedd a rhoddodd hi'r blodau i lawr wrth ei hochr heb edrych arnynt.

"Doeddwn i'n gwybod dim am yr herwgipiad nes bod popeth drosodd," meddai Bradley. "Ar ôl i'r ymarferion orffen, fe ddaethon ni i lawr i Glasgow am ddiwrnod. Dyna pryd darllenais i am yr helynt yn y papur newydd."

Edrychodd e ar Helen. Roedd ei llygaid hi'n disgleirio â golau rhyfedd.

"Fe laddon nhw fachgen ifanc," meddai hi'n sydyn.

"Pa fachgen?"

"Roedd e gyda'r terfysgwyr ond doedd e ddim fel y lleill. Roedd e'n garedig wrthon ni, Brad. Doedd e ddim eisiau niweidio neb."

Gwrandawodd Bradley heb ddweud gair. Aeth y ferch yn ei blaen.

"Roedden nhw mynd i'n lladd ni, ond fe saethodd e arnyn nhw. Fe achubodd e ein bywydau ni. Ond wedyn fe ddaeth y milwyr i mewn ac fe laddon nhw e fel ci."

Anadlodd Bradley yn ddwfn cyn siarad.

"Os oedd e'n cario gwn fel y lleill, Helen," meddai,

"roedd rhaid i . . ."

"Fe ddefnyddiodd e'r gwn i'n hamddiffyn ni," ebe Helen. Roedd ei llais hi'n codi bob eiliad.

"Efallai," meddai Bradley. "Ond doedd y milwyr ddim yn gwybod hynny."

Chwarddodd y ferch yn eironig.

"Roedd e wedi achub ein bywydau, Brad. A dyna'r tâl a gafodd — cael ei saethu fel ci!"

"Mae'n drueni," sylwodd Bradley. "Ond terfysgwr oedd e fel y lleill."

Rhoddodd Helen ei phen yn ei dwylo.

"Dwyt ti ddim yn deall," meddai. "Dwyt ti ddim yn deall o gwbl. Ddylai fe ddim fod wedi cael ei ladd fel yna."

Trodd y milwr at y ffenestr ac edrych ar y mynyddoedd gwyrdd yn y pellter. Roedd e ar bigau'r drain. Roedd Helen yn siarad â fe fel dieithryn.

"Alla i ddim deall, Helen," meddai'n dawel, "achos doeddwn i ddim yno."

Aeth munud heibio mewn distawrwydd. Yna clywodd e lais Helen, ond roedd hi'n siarad bron mewn sibrwd.

"Roedd . . . roeddwn i wedi prynu anrheg iti, Brad. Potelaid fach o Aramis oedd hi. Mae'n ddrwg gen i, Brad. Fe . . . fe gafodd y botel ei thorri yn ystod y saethu."

Trodd e a gweld y dagrau yn ei llygaid hi. Aeth ati hi

a'i chymryd hi yn ei freichiau.

"O, Brad," meddai hi. "Rydw i'n teimlo'n ofnadwy." Yna dechreuodd hi wylo fel baban.

"Beth sy?" gofynnodd John Morris i'w wraig.

"Wn i ddim. Fe af i weld."

Daeth hi'n ôl ymhen munud.

"Es i ddim i mewn," meddai hi. "Mae Helen yn wylo."

Edrychodd ei gŵr arni hi a gwenu.

"Diolch byth," meddai. "Mae'n dechrau gwella."